À MINUIT. CHANGEZ LA DATE

Les Écrits des Forges
ont été cofondés par Gatien Lapointe
en 1971 avec la collaboration de
l'Université du Québec à Trois-Rivières.

Société
de développement
des entreprises
culturelles
Québec

La SODEC (Société de développement des entreprises culturelles) et le Conseil des Arts du Canada ont aidé à la publication de cet ouvrage.

Conseil des Arts du Canada — Canada Council for the Arts

Canada

« Nous reconnaissons l'aide financière du gouvernement du Canada par l'entremise du Programme d'Aide au Développement de l'Industrie de l'Édition (PADIÉ) pour nos activités d'édition ».

Illustration : Ève-Lyne Thivierge, *Âge caustique*, 2004

Photographie de l'auteur : Ève-Lyne Thivierge (2004)

Distribution au Québec

En librairie :
Diffusion Prologue
1650, boul. Lionel Bertrand, Boisbriand, J7E 4H4
Téléphone : 1-514-434-0306 / 1-800-363-2864
Télécopieur : 1-514-434-2627 / 1-800-361-8088
Courrier électronique : prologue@prologue.ca

Autres :

Diffusion Collective Radisson
1497, Laviolette, C.P. 335
Trois-Rivières, G9A 5G4
Téléphone : 1-819-379-9813 — Télécopieur : 1-819-376-0774
Courrier électronique : ecrits.desforges@tr.cgocable.ca

Distribution en Europe

Écrits des Forges
6, avenue Édouard Vaillant
93500, Pantin, France
Téléphone : 01 49 42 99 11 — Télécopieur : 01 49 42 99 68
courrier électronique : ecrits.desforges@tr.cgocable.ca
site internet :www.ecritsdesforges.com

ISBN
Écrits des Forges : 2-89046-833-X

Dépôt légal / premier trimestre 2004
BNQ ET BNC

PIERRE
LABRIE

À MINUIT. CHANGEZ LA DATE

Écrits des Forges
C.P. 335, Trois-Rivières, Québec, Canada G9A 5G4

DU MÊME AUTEUR

À tout hasard, recueil de poèmes, manifeste, avec Carl Lacharité et la participation de l'artiste Alain Fleurent. Éditions d'art Le Sabord, coll. « excentriq », 2000.

Cage verte, poésie, avec deux œuvres de l'auteur. Éditions Cobalt, coll. « Explosante / fixe », no. 5, 2001.

L'amour usinaire, poésie. Écrits des Forges, 2002.

Voyage dans chacune des Cellules, poésie. Éditions Trois-Pistoles, 2003.

Stelio Sole : lumière espace-temps, poésie, avec Isabelle Forest et Carl Lacharité. Écrits des Forges / Caractères, 2003.

L'auteur remercie le Conseil des arts du Canada
pour le soutien apporté à l'écriture de ce livre.

à celle qui reste debout à l'aube
avec des midis épargnés
je reviendrai peut-être

Mais ils s'affolent de la lenteur
du jour à naître

SAINT-DENYS GARNEAU

sommeil insurgé / éveil dissident

à l'éveil
il y a le temps
le journal
présence tactile à l'arraché de la nuit
l'état du corps console
l'immobile
cachot du matin avant l'instant de tes yeux à ma
gauche
vivre dépose un symbole défini dans nos mains
il arrive qu'il manque un flanc à l'une de nos pages
cicatrice agenouillée aux alentours du ventre
avec des centimètres carrés d'innommable
d'incompris
la mesure du mal confère des résonances de tasse
éméchée
cœur seigle dans l'assiette
ne rien se cacher
l'heure ravive l'anonymat de nos premiers soupirs à
l'aube
puis se lever décroche les situations glauques
les deux oreilles sur le matelas
l'oreiller par terre à droite
n'aime pas la première odeur de l'éveil
dormir est une croix avec le réel à genoux

le scalp de nos jours dans la penderie
ménage artifice du risque
le droit à la parole laisse une phrase en attente
sens latent la photo de nos corps lorsque nous ne
disons rien
pour reprendre notre histoire laissant choir les
couleurs
par terre là
la poussière plus libre de continuer sa marche
à moins que nos yeux ne pouvant plus se voir
s'écrasent chaque matin à la même heure
nous sommes ailleurs
ensemble égarés
parce qu'il n'y a pas qu'un seul chemin à suivre

les interstices du rêve d'où nous venons
détonnent
gestes inoxydables sans noms parce que trop loin
trop loin pour que l'on s'en souvienne
trop loin pour qu'on les juge
au seuil intensif de nos mémoires jongler devient
évident
quand nos monologues se diluent
comme voir la grande Ourse un soir de nuages
elle est venue l'autre soir
une perle qui s'avère fausse
dans le miroir qui rappelle «la peur de dire» butée à
un mur
qu'est-ce qu'il y a?
à part les pistes d'un meurtrier en page quatre
et une victime
tu ne la connaissais pas
et tu penses que la lame sur ton sourire
mal aiguisée
ne fait pas de cicatrices
mais oui moins creuses peut-être mais plus larges
plus visibles
plus près du jour

il faut être fait fort pour pleurer
aujourd'hui
clone d'hier avec une ligne sous les yeux d'un autre
ton
tracé clair camouflage imprécis de ce que tu voudrais
dire
l'avancée du corps ne suffit pas
masse hésitant à tirer à la courte paille ce qui nous
enveloppe
la planète n'est pas au courant de ce que tu avances
contrairement à l'article de la page suivante
à sommeil insurgé
à gauche à droite
l'éveil dissident
qui d'autre dissimule la proie des gestes réparateurs
sinon le temps
nous ne possédons que quelques pas d'aiguilles pour
tout refaire

l'ébauche ajourée des phalanges au vertige des seins
se jette par la fenêtre
le sexe indomptable du jour
chaque souvenir reprend sa place
se moucher redéfinit les traits du visage
seuls restent les yeux rouges les veines tirées
et le journal échappatoire de ce qui se passe ici
le spectacle du corps se termine
ce qui suit le déjeuner lance un tout autre débat

l'état des choses aujourd'hui I

un présage perle dans tes mains
il y a des anecdotes de ciment
des anecdotes encore avec des pliages d'enfants tout
autour

minutes de pause
nos sexes en cavale
plus rien ne respire dans la même pièce
la suite de nos regards neige des corps
nous n'en avions pas prévu autant
le mur s'allonge avec la drave du lit sur la lampe
torchère

description complète de cette heure
un couteau peint dans chaque poitrine
une larme sourire brisé
quatre pieds sans chevilles mains en serre
le long sommeil des yeux

disputes
les yeux ramassent les corps
nous avons le rythme cartésien
après tout
il n'y a que cela qui fonctionne encore
les bras le long du silence et le cœur en poursuite

l'appareillage d'instinct
il n'y a pas d'âge défini
que des strates pieds en rang
les langues mitraillent jusqu'au bout
la famine au guichet

l'éveil sonne fort
la grue balance dans le cœur
les nuits courtes laissent leurs blessures sous les yeux
se lever est un film à développement inclus

une seule fraction de seconde
peut tout changer de ce que l'on est
des pensées ping-pong lancent des débats
mais rouler sur l'autoroute à l'envers serait trop
 risqué
aujourd'hui vaut mieux rentrer dormir

à la confesse
make-up parfait de la douleur
les mots seront mal dits parce qu'il n'y a pas de place
aujourd'hui
pour se coiffer d'une paire de couilles

chaque jour possède l'histoire qu'on lui procure
lorsque aujourd'hui j'y ai mis le pied
le littoral des rides sur son front décelait beaucoup
    plus qu'une histoire
parce qu'il pleuvait
et qu'au téléphone il y avait ma mère

savoir cuisiner présuppose une question de temps
l'anecdote la plus simple à 9 h 30
peut diluer un couple à 20 h 55
donc la démanteler à 9 h 45
pourrait bien faire qu'à 23 h 59
deux corps dorment en cuillères

la neige dans les yeux
cavale joyeuse en rond
à bout de bras
sans qu'il n'y ait quelqu'un au centre
les cœurs accélèrent et les pas crissent à contretemps
à ce jeu nous finissons toujours étourdis

le ciel
nos yeux à l'heure du souper
lorsqu'on apprend à le lire
donne déjà la base de l'éveil
le lendemain nous ne nommons plus
nos corps dans l'espace

se mettre à table
plus de temps pour définir nos restes
pour placarder ce que l'on tasse du revers
nos gestes fauchent tout
ce qui de toutes façons ne reviendra pas demain

on ne devrait pas subsister ici après quelques
distances
nous avons le souvenir du vide
il y avait ce tronc d'arbre sur lequel on passait
en déséquilibre
mais nous avons eu froid

il arrive qu'un mot entaille
juste assez pour qu'on le sente une partie du jour
la suite du monde
pansement fragile sur la peau
le regard charnière à la réparation des tissus
nous disons qu'aucune blessure ne survivra

l'amour usinaire
voyage sans chapelets à genoux
dans l'escalier
sans la polémique de vieux jeux bénis
il y a quand même l'arc de l'oubli jusqu'au matin
avec le marbre froid sous les pieds
nous ne remonterons plus nos mécaniques vivantes
autant que la montre masquée de nos épaves

la demi-heure de sommeil réparateur
auquel le rêve n'a pas d'invitation
trop court pour servir d'alibi
pas de fantasme pas le temps de plonger
au réveil il ne reste que la trace de l'oreiller

je sais que la nuit n'est plus ce qu'elle était
ta voix précipite le jour dans la conception du mien
ton sourire n'a pas de lieux fixes
l'orbite sensible du bruit s'épuise
et il reste libre

vade-mecum

cygne au visage d'ailes tordues
la beauté n'a pas de revers dans tes mains
pourtant je vois la maison perdue des douleurs
miroir désertique des mouvements dans la rivière
en un instant les souvenirs et la possibilité de corriger
les blessures
le souffle entrelacé de la peau
et un jour
une prière bagarre en mouvement le monde mains
liées

nous cherchions à devenir l'une de tes estampes
la saison de nos sexes au bout d'une table
et si elle mourait de ta main
cours arrive plus rapidement
les jumeaux de ta conscience s'épuisent
ils se lèvent uniquement lorsque les lèvres se mordent
une toile d'évasion pour toi rassure les tranchées de
mon lit
entends la mandragore infinie
prends ma main ce soir
les couvertures ne sont qu'une mère évanouie

maintenant tout nous arrive déjà prononcé
je risque de perdre l'esprit de ces mots
le rêve
ton visage dans cette pièce
je sais je suis récurrent à la dérive je devrais
me sauver de moi-même
prendre tous les espoirs et aller dans cet endroit où
j'ai perdu le noir le blanc et le droit de passage de
ma joue à la frontière de tes cuisses
je ne rêve que parce que je redoute de m'endormir
et jouer le jeu attire
perdu devant le cauchemar de dieu
je ne peux rien faire d'autre que d'y faire face
un enfer que je visite dans l'apocalypse de tous les
noms
et la vision de ces enfants morts un jour de grenades
religieuses
comme le mirage d'une source contaminée
chevauchant le sable du désert

il s'agit du secret que tu m'as laissé hier
fleur coupante entre les pages
l'envie se promène à mes côtés lorsque je fume seul
    dans la rue
mais c'est dieu qui te caresse si tu ne sens rien

je suis fixé à l'envers de cette histoire
dans laquelle avait été érigée une femme
petit et solitaire corps ne trouvant pas la sortie
en terrain étroit caveau de lignes sobres
je suis fixe lorsque tu es la femme nue au fusain
devant moi
derrière dieu et ses vieux os
fortune sans dimanches après-midi
le monde se réfugiait
petit héritage échu de l'après-midi
hors de toute joie épandue sur le monde
je ne perçois que des ombres de ramures qui jouent
sur mes rideaux
blancs rayons de l'air
pellicule de soleil qui craquerait mon monde
tes yeux absents

que ce soit l'étrange qui monte à la bouche des
canons
ou les moqueries qui font sourire nos lèvres
il y a la journée des chiffres qui nous sépare
il y a l'épaule où l'on regarde le travail de tes mains
demain comme hier comme une image de l'amour
inversée
on a peur des ratures de l'aube
caillou qui patiente ailleurs
avec qui nous ne parlons plus
plus jamais depuis plusieurs promesses
par le téléphone des yeux

la place d'un déluge dans l'enfance
ton cercle de femme
désert ouvert
les voix n'ont peut-être plus de nuits
ce que je cherche dans tes yeux
un jour d'anges s'étire
paquebot glissant dans les eaux de la gorge
chaque chose dite dans les regards n'en ressort jamais
les alentours filent leurs quenouilles pour nous
    empêcher de tomber dans le fond de la terre
n'empêche que l'enfance est une sonde arrivant à
    prévoir les deuils
les soirs où nous étions peut-être prêts à les accepter

la mémoire plus grande que l'oreille inquiète d'un
matin dans les rues
debout à l'aube près d'un parcomètre
les nacelles surveillent avec certitudes nos frontières
de fortune
la fuite saline comme des oiseaux tracés se place dans
la ville tendue
la fiction s'aiguise avec l'angoisse qui demeure sur la
table
se développe alors le soleil invisible de ton iris
et nos silences qui se rencontrent
comme nous remettons les clés à l'accueil du motel

errance du lendemain
chaque geste n'existe pas vraiment
demain comme hier notre dernière heure sait se
rappeler de l'errance de nos regards
au premier jour de l'apparition des mains à chaque
hémisphère de nos larmes
sans savoir ni dire ni écrire ce que chaque moment
instable nous portait à rire

mes doigts reconnaîtraient la couleur de ta peau
mes mains ode à tes seins

un jour je reviendrai peut-être
alors j'observe avant qu'il ne soit trop tard
sachant que je suis seul pour vivre
tous les mensonges
malgré que le temps n'attende personne
il y a une façon de dire adieu à nos rêves

l’état des choses aujourd’hui II

toujours les danses à l'ombre
au battement de la lune
les passages étroits sous les plis des boulevards
les cris de branche en branche
la cravate du temps au rempart du clocher
la peur de la forme du retard
la naissance relent au vent
tout déambule à l'accueil de nos risques
odeur d'un moulin à l'aiguisoir du monde
pas perdus au collet qui tend à nous éloigner

il y a trop de taches parmi les bottines accroupies à
l'embrasure d'une mare
mais ici l'acte de la folie ne voit le temps mourir
devant aucune horloge
nous ne pouvons pas donner la mesure
somme toute affligée de ces noms d'étoiles

les chacals de nos cahiers sous mains cherchent les
yeux du vide
corps enveloppé d'un fleuve
trop de jaune le héron à pattes de sentiers
corps convaincus des piles d'arbres périmés
vague pleine d'anciens neuf à cinq jusqu'au sang
photos nues au fond d'un coffre

les ruisseaux du jour piègent nos gouttières près du
    cœur
lampe capricieuse
la nuit des guitares se retourne
l'appareil de la rue agonise

nous sortions d'une culpabilité qui emporte le monde
dans chaque tête
s'exile la solitude
la mort précise s'endort
dans le fruit des poèmes de hasard
qui vacillent à l'invitation étrange du bonheur

les fenêtres fermées
souvenirs longs
quand la ville rend ses anges à la table de nos
blessures
nos ciels épuisés s'enfoncent et la mer serre la gorge
de nos étoiles
mais ici
fleuve fixe
l'attente ne porte plus l'autre en moi

le gage de l'enfance détache nos yeux
lorsque nos réponses font des fièvres silencieuses
et que les barrières sanguines s'effondrent
le silence à la boutonnière
le froid d'un hiver en fuite qui se présente chaque
matin
à chaque valve du cœur

la mort se porte à la poitrine
société aux yeux fermés
la peine de mort pays à chaque brûlure de nos matins

l'île étrange sous le lampadaire
le crépuscule nourrit le revers de nos gestes de
    poitrine à son œuvre
et dans la nuit
le jouir au fond d'une valise
pendant qu'au téléphone il n'y a pas de réponse
l'air comble les fièvres gorgées de paroles
abandonnées au commencement
splendeurs utiles et chronologiques des touchers
chaque paume sans mobile
ventres réels à la respiration horizontale

outils sans souffles au lit intouchable
les scènes brisent l'épilepsie d'une bouteille
suite avec un chat noir au chandail l'après-midi
le temps aime nous distinguer des autres chaleurs
lorsque les éléments de notre casse-tête
n'ont plus la structure de l'adolescence

entendre *le corps du vaisseau*[1]
à l'oreille seule
ta voix sous les filaments de la tempe
je m'abandonne aux choses vivantes
seulement si
une cicatrice sous l'œil
elles arrachent au sol ce qui reste de mon nom

[1] Roland Giguère

poisson de cathédrale de la neige
tempe à l'approche de ton aube
aveugle bref du silence
hymne du calcul balafré qui regagne le sol du comble
idole consacrée réduite à redouter les regards de la
fin
chien mangeant sa portée du néant
eau dormante ne voulant rien dire
amiante du ciel à la main tramant les têtes bleues de
nos ombres
volcan de déraison
cirque en caresse du midi
dénouement double pont

ici on récite l'enclume des yeux
je ne suis jamais rapace d'une légende
un visage blanc en feu

horloge
aiguilles de chiendent
charpente naufrageuse
ville couverte d'une mère immobile
le chagrin à tous égards
danse souveraine à la brûlure de l'épaule
plaie fixe
des dimanches dérobés au front
cloués aux cheveux de la porte
odeur bredouille de la mémoire

aucun livre ne débattrait le pays de nos fœtus
seul le silence plus souple
la faiblesse dans nos mains
dans nos regards centrifuges

matin errant
chaque secousse
un départ
la nacelle du jour termine le silence jeune au milieu
du hasard
mémoire de nos mains
visage sans frontière derrière la fuite
nos remorques de l'enfance tissent le large

nous ne nous regardons plus
dans la fiction des boulevards en prière
le sol placardé
le calme rôde
à chaque pas l'humanité refait son soleil à l'ombre
d'une lèvre
et l'errance intérieure
une litanie
la parole diaphane de l'hiver borde nos corps

la ville sonde nous sépare
cette femme déroule l'ombre de nos paupières
désert fragile pour lequel je suis la pluie
nos amours quenouilles asphyxiées
la porte grande ouverte je sors
et nos oiseaux ont le cœur modelé dans la matrice de
la mort

notre alarme berce l'embarras de nos minutes
atteintes
que nous ne comprenons pas
et nos serrures n'ont plus de clés
clés perdues dans la torture des ruisseaux
avant que nous disions fleuve fixe
et moi à la recherche d'une autre
la sonnerie éteinte

tes courbes de contrebandes
je me faufile
aux clichés de nos vagues
à la porte de ta respiration
je m'éparpille comme la paille
en délivrance
avant que ne déborde l'objet de nos crépuscules

les routines insensibles de nos corps
trottoirs vierges de l'ailleurs
nos fièvres se hérissent sur nos sables
liberté nue mimée d'agonie
les combats murmurent l'haleine diffuse de tes lèvres
encore toujours l'oiseau de mon départ
ne vibre plus à ta présence au cœur des promesses

l'amertume n'est plus qu'un aboutissement
la lumière se défait en l'absence de frontières
en embâcle
pays pointu de mon seul cri
que parcourt dieu sans la paume gravée de chapelets

le sentiment qui reste
corps d'appartenance
nous voyageons désormais à même les ruines
orphelines
nos ombres consolent l'avenir du vertige
oubliés à parts égales nous devenons les particuliers
de l'enfance
pour ne jamais contredire
les fenêtres vides de nos respirations
soleils couchants
l'œil déserté de l'amour et des valises vides

l'épaule pèse lourd sur notre durée
sillon de nos cicatrices à ta hanche
la jupe trompe le sentier de l'œil
un parapluie cache l'air que nous avons
parce que sans motif notre monde se refait seul
sans nous
ne sachant pas qu'à l'oreille
le souffle
simple brique devant l'automobile de nos silences
étendus nous dépassons nos yeux

feuillage sous la lumière cohabitante de la naissance
la fuite des semences perceptibles dans la chaleur de
l'arme sous terre
beauté de têtes silencieuses
paroles ravies qui assemblent les parts de l'automne et
du soleil
ce soleil déborde du débit de la mémoire
les maçonneries se retirent
le rêve la mort et les paupières se disputent le ciel
détournés de la circulation des gestes

nous sommes le journal de l'arythmie
sur le chemin de la neige du nord
rues à poings fermés
ici nous sommes la sentence la question brute de nos
nuits
mince glace sur les paupières d'enfants évasifs sur les
montagnes tristes
l'incendie de nos parcs dans la mort
nous sommes aussi la paix à genoux
dans les bras teintés d'un coup de dés
bouches assermentées du vertige
en retrait de la blessure d'une première neige

à part se cacher de tout
les dragons assèchent les bénitiers
rire
excuse à l'anonymat
lorsque la tête dans le désert sort sa queue

j'écris ce qui dessèche
prière issue d'un silence et d'un geste
et l'amer portrait de dieu en fuite

nous aspirons ce qu'il y a de libre dans cette nuit à
deux
marqués d'un X avec ce qui reste des yeux vides
plusieurs de nos disparitions en sérigraphie sur ta
voix
avec les images d'une autre sur le crâne
couchés sur une ombre
avec le visage déconstruit
une main reste déserte
et cette marque blanche au deuxième degré

nous habitons cet œil qui transforme
le sommeil attire de son ombre

à minuit. changez la date

Et les ombres seront abattues comme des ombres

ROLAND GIGUÈRE

à 23 h 00 / départ

trop de regards lancés
sans savoir ce qu'il y a en retour
des traces d'anges déçus
par l'étrange mouvement
de la race humaine
déjà 23 heures quand je ne suis plus
sûr de savoir qui je suis
poussé en toute bonne conscience
seul dans les draps de la nuit

à 23 h 05 / ma date d'expiration

j'ai le regret de savoir que tout se termine
parce qu'il y avait aussi quelqu'un d'autre
pour défaire le temps à coup de poinçon
j'ai le regret de ne pas savoir si elle sera là
demain
à la bonne heure

à 23 h 10 / mon PC intérieur retombe en 1980

j'ai malheureusement appris à compter
la marque s'étend sans l'efface
j'avais huit ans
la professeure disait
j'aurais vingt-huit ans en l'an 2000
déjà vingt ans à l'avance
l'angoisse du bogue s'installait
quelques calculs et puis voilà
j'avais déjà l'âge de mes parents
la notion de temps allait prendre
à ce moment
précis
une place importante

à 23h15 / vieillir

l'âge
voyage local
plus ou moins long
empreint d'orages précis
où seul je porte mes cendres présentes

à 23 h 20 / on efface la jeunesse de la mémoire

j'ai déjà appris à ne plus dire de gros mots
il n'y a rien de plus
rien d'autre qu'une main laissée là
malheureusement la gueule des chiens persiste
ils n'ont plus l'image de l'enfance
je redoute qu'ils tirent à bout portant
les sourires qui n'ont pas l'air adulte
lorsqu'on m'a appris à ne plus dire de gros mots
on ne m'a pas dit de me la fermer
peut-être que oui après tout
mais j'étais presque sourd
à cet âge-là

à 23 h 25 / autant le recul que l'avancement

je sais conduire
du moins je l'ai appris
je redoute la conduite des autres
parce que les autres à reculons sur l'autoroute
sans phares la nuit
avec des pneus à clous
sur les restes d'une pluie de juillet
et cette personne qui fait du pouce
sans que je ne m'arrête
puis cet arbre en pleine face
je devais dormir depuis au moins cinq minutes
je suis resté
les doigts pris dans les couvertures
un livre sur la poitrine

à 23 h 30 / les fuseaux horaires avancés

d'autre arrivent
d'autres partent
d'autres dorment
d'autres s'éveillent
d'autres déjeunent
d'autres courent
d'autres freinent
d'autres vont travailler
d'autres volent
d'autres vivent réellement sous un autre jour
ici
dans le lit
l'angoisse n'est qu'un maquillage

à 23h35 / l'heure normale

reprendre sa respiration plusieurs fois
l'œil témoin
n'avoir qu'un seul but
reprendre pas à pas

l'état des choses aujourd'hui

à l'éveil
nous sommes seuls
chargés à blanc
la nuit des longs sourires
le silence reçoit ses honneurs
devient carrément l'objet d'une négation
lorsque le jour nous lève
progrès diaphane mais rassurant de nos gestes
nous redevenons les héros que nous avions dessinés la
première fois
à l'heure normale
mais
à l'éveil
je suis seul
elle n'a pas les clés

à 23 h 40 / les voyages en ligne droite trop rapides

j'ai horreur
des voyages en ligne droite trop rapides
sans pouvoir dévier de la trajectoire programmée
des voyages
qui nous empêchent de nous arrêter
afin de reprendre le souffle nécessaire
à la marche
à la course
à la poursuite
mais jamais à la fuite

à 23 h 45 / redouter autant le temps d'une salle
d'attente que celui du sommeil

il y a l'aile gauche qui se casse
le même soir que le cœur
l'attente du sommeil
perfore dans un nid

à 23 h 50 / redouter autant de savoir que de ne pas
savoir

j'ai un jour appris à lire
lire des images
comme un enfant
puis un autre jour
on me demande de tout oublier
de lire pour rendre compte
la liane inverse peut nous faire suffoquer
et la dureté du langage de la chair
n'est prétexte qu'à l'effondrement du membre
je

à 23 h 55 / redouter tout ce à quoi je ne crois pas

j'ai décidé de ne pas croire en dieu
ne pas croire en une seule vérité
ne pas croire qu'il nous protège plus que le reste
ne pas croire aux moutons matriciels
ne pas croire aux sens du mot hasard
ne pas croire aux contraires du mot liberté
à ce jour
j'alimente ce qui reste de haine
mais tout est question d'identité
et je ne crois pas que mes fantômes reviennent

à 24h00 / changer la date

TABLE